# Cerddi'r Galon

# Cerddi'r Galon

## Telynegion i Ddysgwyr
## gan Ddysgwraig

# Susan May

# Er cof am fy mam a'i hiaith

Cyfres Golau Gwyrdd Rhif 3: Cyfres o gyfrolau i ddysgwyr
Argraffiad cyntaf: 2010

Llun y clawr: Pont Rhyd y Cyff, Maesteg, gan Brian Roderick
Cynllun y clawr: Robat Gruffudd

Rhif Llyfr Rhyngwladol: 978 1 84771 293 6

Cyhoeddwyd ac argraffwyd yng Nghymru
gan Y Lolfa Cyf., Talybont, Ceredigion SY24 5HE
*gwefan* www.ylolfa.com
*e-bost* ylolfa@ylolfa.com
*ffôn* 01970 832 304
*ffacs* 832 782

# Cynnwys

## Rhagair

Mae Susan May yn enghraifft ragorol o'r modd y mae rhai dysgwyr yn ein plith yn mynd ati o ddifrif y dyddiau hyn i geisio meistroli'r iaith Gymraeg. Bu wrthi ers blynyddoedd yn dysgu sut i siarad ac ysgrifennu'r iaith, ac ni fu pall ar ei brwdfrydedd. Fe enillodd gryn glod iddi ei hun yn yr Eisteddfod Genedlaethol yn Adran y Dysgwyr.

Dyma hi yn awr wedi mentro cyhoeddi cyfrol o'i cherddi a hynny ar gyfer dysgwyr gyda chymorth geirfa. Ond fe gaiff y Cymry Cymraeg hwythau gryn flas ar ddarllen y gyfrol, a pheth syndod hefyd, wrth sylwi ar y modd y mae'r bardd yn trin yr iaith mor fedrus a chelfydd. Cefais innau gryn fwynhad wrth ddarllen y cerddi swynol a chrefftus.

Wrth longyfarch Susan ar ei gorchest gwiw diolchwn iddi hefyd am wneud hyn o gymwynas â'r iaith Gymraeg hithau yn nydd ei chyfyngder.

Morgan D Jones MA

## Cyflwyniad

Magwyd fi ym Maesteg. Darlithydd bydwreigiaeth wedi ymddeol ydw i. Cefais fy ngorfodi i ymddeol yn gynnar oherwydd bod anabledd arnaf.

Cymraeg oedd iaith hen deulu fy mam, ac roedd fy mam yn gallu siarad Cymraeg yn rhugl hefyd. Roedd fy mam yn gaeth i'r gwely am flynyddoedd maith. Un diwrnod roedd hi'n drist iawn. Doedd neb o'i hen deulu hi ar ôl yn fyw. Doedd neb a siaradai Gymraeg gyda hi. Felly penderfynais i ddysgu. Prynais i'r llyfr a thapiau *Cymraeg i Ddysgwyr* a dechreuais i ddysgu gyda fy mam yn 1994. Pan fu fy mam farw yn 1996 addewais i mi fy hun y buaswn yn dal ati i ddysgu sut i siarad ac ysgrifennu'r iaith.

Er bod anabledd arnaf mae dysgu Cymraeg ac ysgrifennu cerddi drwy gyfrwng y Gymraeg yn fy helpu i ymdopi gyda'r anabledd, gan ddod â synnwyr o bwrpas a hunan-barch. Ysgrifennais fy ngherdd gyntaf yn 1998 gogyfer ag Adran y Dysgwyr yn yr Eisteddfod Genedlaethol ym Mro Ogwr. Enillais Gadair y Dysgwyr yn yr Eisteddfod Genedlaethol yn 2001.

Wrth ddarllen y cerddi bydd darllenwyr yng Nghymru yn gallu ymdeimlo ag oes sydd wedi diflannu gan adael ei chofadeiladau a'i chreithiau. Roedd tair glofa yn cyflogi 3,000 o lowyr ym mro Maesteg, ac mae cenhedlaeth sy'n byw o hyd yn yr ardal yn cofio'n dda amdanynt. Cynhyrchid 12,000 o dunelli o lo yn feunyddiol rhwng y tair glofa. Mae rhai o'r cerddi'n adlewyrchu'r harddwch sy'n dechrau dychwelyd i gymoedd y De. Caiff y darllenwyr y tu hwnt i Gymru flas ar oes eu cyndadau hefyd.

Cynhwysir geirfa ar ochr dde pob cerdd, a gobeithio drwy hyn y caiff y darllenwyr hyder ac ysbrydoliaeth i ysgrifennu a datblygu eu hiaith.

Mawr yw fy mraint o ddysgu'r Gymraeg ym Maesteg. Dysgais i lunio cân mewn mydr gan Morgan D Jones, athro Cymraeg wedi ymddeol ac awdur y llyfr *A Guide to Correct Welsh*. Gwerthfawrogaf ei garedigrwydd am byth. Hoffwn i ddiolch i Gareth Huw Ifan ac aelodau Clwb Cymraeg Maesteg am eu cefnogaeth, ac i bob Cymro Cymraeg sydd wedi rhoi ei amser i siarad â fi dros y blynyddoedd.

Hoffwn i ddiolch hefyd i'r Lolfa am drin fy ngwaith yn dda.

Susan May
Gorffennaf 2010

# YFORY
(Cerdd fuddugol Cadair y Dysgwyr 2001)

Os blin fy ngwedd am lawer awr
Yn nhrymder hir y nos,
Myfyriaf beth a ddwg y wawr
Pan gân y llinos dlos.

Caf weld pelydrau haul yr haf
Yn treiddio trwy fy llen,
Ac yng ngoleuni'r wawrddydd braf
Gostegir cur fy mhen.

Er bod y nos yn awr yn hir
Dan lesgedd caeth o hyd,
Cyn sychu eto'r manwlith ir
Fe fyddaf wyn fy myd.

Ni cheir un rhosyn yn yr ardd
Yn tyfu heb ei ddrain,
Ni welir byth aderyn hardd
Mor fud â'r alarch cain.

Trysoraf bob munudyn llon
A ddaw â nerth di–lyth
Ac erys heddwch yn fy mron
Yfory ac am byth.

blin – *wearisome*
trymder – *heaviness*
myfyriaf – *I contemplate*
a ddwg y wawr – *that the dawn will bring*
llinos – *linnet*
pelydrau – *rays*
treiddio – *to penetrate*
gwawrddydd – *break of day*
gostegir – *will be soothed*
cur – *ache*
dan lesgedd caeth – *locked in disability*
sychu – *to dry*
manwlith ir – *sappy dewdrops*
mud – *silent*
alarch – *swan*
cain – *elegant*
trysoraf – *I treasure*
munudyn – *minute, moment*
di–lyth – *infallible*
erys – *will remain*

## I'M HATHRO CYMRAEG
### (Morgan D Jones)

Hen athro rhadlon ydych chi
A ddysgodd iaith y nef i mi,
Rhyfeddais droeon at eich dawn,
Eich addysg a'ch gwybodaeth lawn.

'Rôl dysgu gan eich mam a'ch tad
I garu'ch bro a'ch annwyl wlad,
Troediasoch lwybrau'r llên a'r iaith
Ar bererindod bywyd maith.

Fe ddysgais gennych lunio cân
I ryfeddodau natur lân,
Wrth weld yn nhegwch bryn a bro
Rythmau'r tymhorau yn eu tro.

Rwyf mor ddiolchgar i chi'n awr
Am arfer eich amynedd mawr,
Mae arnaf ddyled fawr i chi
Am ddysgu iaith y nef i mi.

rhadlon – *genial*
dawn – *gift, talent*
troediasoch – *you trod*
llên – *literature*
pererindod – *pilgrimage*
llunio – *to compose*
rhyfeddodau – *wonders*
tegwch – *beauty*
amynedd – *patience*
dyled – *debt*

## MELINAU

Cyn dod o ddyddiau'r glo a'r dur
Fe lifai'r nant yn lân a phur,
Gan droi'r hen olwyn ddŵr o hyd
I falu'r gwenith gwyn a'r ŷd.

Ond melin y diwydiant trwm
A drodd y cwm yn dirlun llwm,
A'r distryw creulon mwya 'rioed
I lygru'r nant a noethi'r coed.

Mi gofiaf am y rhai a fu
Pan ffrwydrai'r fflamau'n fyglyd ddu,
A phoerai'r* tawdd ei drochion brwd
Trwy'r felin hon sy'n casglu rhwd.

Mi glywaf atsain bell o fraw
A lleisiau dynion cryf gerllaw,
Neu ynteu, si'r melinau gwynt
Ymhell o sŵn ffrwydradau gynt.

Ond gwelaf ar y bryniau pell
Arwyddion gwiw o ddyddiau gwell,
Melinau gwynt yn troi ynghyd
I greu tawelach, glanach byd.

\*   'Spitting' was a term used to describe the molten metal
    as it splashed

glo a'r dur – *(the) coal and the steel*
llifai – *would flow*
yn lân a phur – *clean and pure*
i falu – *to grind*
gwenith – *wheat*
ŷd – *corn*
diwydiant trwm – *heavy industry*
tirlun llwm – *desolate landscape*
i lygru – *to pollute*
noethi – *to denude*
ffrwydrai – *exploded*
yn fyglyd ddu – *smoky black*
poerai – *spat, spluttered*
tawdd – *molten metal*
trochion brwd – *boiling lather*
rhwd – *rust*
braw – *fear*
si – *buzz*
tawelach – *quieter, more peaceful*
glanach – *cleaner*

## YR OLWYN LONYDD
(Hen löwr mewn amgueddfa)

Hen olwyn lonydd, yr wyt ti
Yn dwyn yn awr yn ôl i mi
Atgofion am yr amser gynt
Pan oeddwn hapus ar fy hynt.

A welaist ti, hen olwyn ddur,
Fel minnau lawer loes a chur,
Wrth godi'r glo o'r dywyll ffas*
I olau clir yr awyr las?

A gofi di, hen olwyn fawr,
Fy mrawd a minnau'n mynd i lawr,
Yn ddwfn i mewn i'r dyfnder du
Yn wyneb y peryglon lu?

Y mae'r blynyddoedd wedi ffoi
Ac nid wyt ti yn awr yn troi,
'Rôl hir flynyddoedd* wrth dy waith
A minnau'n dod i ben fy nhaith.

Er bod y pwll yn awr yn fud
Daw'r lleisiau ataf i o hyd,
Lleisiau fy hen gydweithwyr sydd
Yn galw arnaf nos a dydd.

---

\*    Caniateir rhoi'r ansoddair cyn yr enw mewn barddoniaeth
    / *It is permissible in poetry to place the adjective before the noun*

llonydd – *quiet, still*
amser gynt – *days gone by*
dur – *steel*
loes a chur – *ache and pain*
tywyll ffas – *dark coalface*
yn ddwfn – *deeply*
dyfnder du – *black abyss*
wedi ffoi – *have flown*
hir flynyddoedd – *long years*
pwll – *pit, colliery*
mud – *silent*
cydweithwyr – *fellow workers*

Amgueddfa y Glöwr, Afon Argoed
*Llun: Ken Lewis*

# BYGYTHIAD Y GLO BRIG

Pan wella Mawrth y tirlun gwael
Blodeua brigau'r cyll yn hael,
Daw'r gwcw i'w chynefin fro
Ar lwyn gerllaw'r hen domen lo.

Pa wehydd ddaeth â'i ddwylo cain
Drwy'r perthi llwyd a'r llwyni drain,
I daenu dros y bryniau hyn
Ei liwiau gwych i'n llygaid syn?

Lle cwsg hen haenau glo yn glyd
O dan y porffor rug* o hyd,
Daw estron â'i beiriannau mawr
I newid gwedd y ddaear lawr.

Rhag baeddu harddwch gwlad y gân
A difa hedd ei broydd glân,
Mae angen pwyll a rheswm clir
I gadw'r tlysni yn ein tir.

\* Caniateir rhoi'r ansoddair cyn yr enw mewn barddoniaeth
/ *It is permissible in poetry to place the adjective before the noun*

bygythiad – *threat*
glo brig – *opencast mining*
tirlun gwael – *poor/abject landscape*
cyll – *hazel trees*
yn hael – *generously*
cynefin fro – *habitat*
gwehydd – *weaver*
cain – *elegant*
i daenu – *to spread*
haenau – *strata*
porffor rug – *purple heather*
estron – *stranger*
peiriannau – *machines*
baeddu – *to besmirch*
difa – *to destroy*
pwyll – *prudence*
tlysni – *prettiness*

# MACHLUD

'Run lliw yw'r dŵr â'r wybren
Ar hwyrnos Medi braf,
'Run lliw â'r dail sy'n rhuddo
I ganu'n iach i'r haf.

Ar hyd y gorwel tanbaid
Y llun godidog yw,
Ac ynddo mae'r Creawdwr
Yn hudo dynol ryw.

Ac wedi oes ddinistriol
A'i diwydiannau trwm,
Mor llwm yw olion dynion
Mor hardd yw nen y cwm.

Mewn byd o chwant a llygredd
Ei harddwch welaf fi,
Wrth syllu ar y machlud
Yn lliwio tonnau'r lli.

hwyrnos – *late evening*
rhuddo – *to redden*
i ganu'n iach – *to bid farewell*
tanbaid – *fiery*
godidog – *magnificent*
hudo – *to enchant*
dinistriol – *destructive*
diwydiannau trwm – *heavy industries*
olion dynion – *traces of man*
chwant – *greed*
llygredd – *pollution*
syllu – *to gaze*
lli – *the sea*

## CWM LLYNFI

A ddoi i rodio bryniau'r cwm
Sy'n cuddio llwch y pyllau llwm?
Cei rin y gwyddfid ar dy hynt
Hyd lwybrau'r diwydiannau gynt.

Ni chlywir eto dryciau'r glo
Yn rholio'n araf yn eu tro
A thyf y rhosyn gwyllt yn awr
I glymu am yr hen bont fawr.

Ymlaen o hyd i'r tai bach gwyn
Sy'n sefyll o dan greigiau'r bryn
Lle trigai ein cyndeidiau cu
A godai'r glo o'r dyfnder du.

A ydyn nhw ar goll yn awr
Eu dawn a'u iaith a'u chwedlau mawr?
Fe ddônt yn ôl mewn cerdd a chân
Fel sisial hud y nentydd glân.

i rodio – *to stroll*
pyllau – *coalmines*
rhin – *essence, extract*
gwyddfid – *honeysuckle*
tryciau'r glo – *coal trucks*
i glymu – *to bind*
trigai – *resided*
dyfnder – *abyss*
dawn – *gift, talent*
chwedlau – *legends*
fe ddônt (*or* dôn nhw *in the spoken form*) –
     *they will come*
sisial – *whisper*

# Y TYMHORAU

## DECHRAU'R GWANWYN

Deffra wanwyn dros y bryniau,
Gwisga'r gwyrddlas yn dy nwyd,
Hulia'r helyg noeth â blodau,
Ac addurna'r brigau llwyd.
Gwelaf fanwlith hyd y perthi
Ac ar fysedd llwm y brig,
Dagrau bychain sydd yn gloywi
Yng nghysgodion oer y wig.

deffra – *awaken (command)*
gwyrddlas – *verdant green*
nwyd – *passion*
hulia – *to spread, to deck*
helyg noeth – *bare willows*
manwlith – *tiny dewdrops*
bysedd llwm y brig – *bleak twigs*
gloywi – *to brighten*
y wig – *the wood*

# HWYRNOS HAF

Dan wybren rudd yr hwyrnos
Wrth oedi yn y pant,
Fe glywais gân y llinos
O'r goedwig ger y nant.
Ac yno mewn llonyddwch
O dan gyfaredd hud,
Rhyfeddais at yr heddwch
Mor bell o gyffro'r byd.

wybren – *sky*
rhudd – *red, crimson*
llinos – *linnet*
coedwig – *wood, forest*
llonyddwch – *quietness, stillness*
rhyfeddais – *I marvelled*
cyffro – *commotion*

## DAIL YR HYDREF

Ar frigau'r goeden ger fy nhŷ
Mi welaf ddail o aur fel plu,
Yn disgyn yn yr awel fwyn
I ddangos aeron coch y llwyn.
Ni phery'r lliwiau gwych yn hir
I daenu'r rhuddaur dros y tir,
Cyn dod o'r gaeaf yn ei dro
A'i lymder i ddinoethi'r fro.

brigau – *branches*
dail – *leaves*
plu – *feathers*
aeron coch – *red berries*
ni phery – *will not continue*
i daenu – *to spread*
rhuddaur – *ruddy gold*
llymder – *bleakness*
i ddinoethi – *to denude*

## CANOL Y GAEAF

Fe ddaeth yr eira yn y nos
I hulio'r nef fel llen,
A chuddio cyfuchliniau'r rhos
O dan ei garthen wen.
Ni chlywais sŵn yr ysgafn lu
Yn disgyn ar y llawr,
Ond gwelais wyrth y cwrlid plu
Yng ngolau teg y wawr.

i hulio – *to deck*
llen – *curtain*
cuddio – *to hide, to conceal*
cyfuchliniau – *contours*
carthen wen – *white overblanket*
ysgafn lu – *light multitude*
gwyrth – *miracle*
cwrlid plu – *feather quilt*

## Y BORE BACH

Fe welais yn y bore llwyd
O dan y llwyn gerllaw fy nghlwyd
Friallu'n tyfu hyd y llawr
Gusanwyd gan fân wlith y wawr,
Chwe blodyn melyn bychan tlws
Yn siriol wenu wrth fy nrws.

Mi gofiaf liwiau'r wawrddydd hardd
A chân y fronfraith yn fy ngardd
Tra tarfai'r haul y cwmwl glaw
Uwchben y teg fynyddoedd draw,
A minnau yn yr awyr iach
Yn teimlo gwefr y bore bach.

briallu – *primroses*
cusanwyd – *that were kissed*
mân – *tiny*
gwlith – *dew*
cofiaf – *I will remember*
gwawrddydd – *break of day*
bronfraith – *thrush*
tarfu – *to disturb, to scatter*
gwefr – *thrill*

## YR ALARCH GWYN

Unlliw yw'r dŵr â'r awyr las
Ym mis Mehefin mwyn:
Unlliw â'r blodau'n tyfu'n fras
Ymysg yr hesg a'r brwyn.

Mae wyneb llyfn y dŵr fel drych
A dacw'r alarch gwyn,
Yn llithro ar y llif heb grych
Fel rhith ar hyd y llyn.

Ac yma ger y llyn mewn hedd
Fe oedaf yn yr haf,
A thremio'n hir ar wyrth ei wedd
O dan yr heulwen braf.

Aderyn hardd, os wyt yn fud
Heb gynnig inni gân,
Yn dy ddistawrwydd mae dy hud
Wrth hwylio'r tonnau mân.

Daw gwyll yr hwyrnos dros y byd
I newid glas y llyn
Ond bydd yr alarch mud o hyd
Mor bur â'r eira gwyn.

alarch – *swan*
mwyn – *mild, pleasant*
tyfu'n fras – *growing abundantly*
ymysg – *among*
hesg a'r brwyn – *(the) rushes and the sedges*
rhith – *illusion*
oedi – *to pause*
tremio – *to gaze*
gwyrth – *miracle*
cynnig – *to offer*
gwyll – *darkness*
mud – *mute*

# DAN OLAU'R STRYD

Llewyrchai unig olau'r stryd
I dreiddio'r noson ddu,
A phefrio hyd yr eira mud
I liwio'r cwrlid plu.

Ac yno drwy'r tawelwch gwyn
Yn gyfrwys ar ei daith,
Fe grwydrai'r cadno llwyd o'r bryn
I chwilio'r dref am faeth.

Wrth syllu tua'r golau clir
Fe welodd fin dan glawr,
A daeth o gysgod hir y mur
I gipio cwdyn mawr.

Pan gysgai cŵn y cwm dan do
Ymborthai'r cadno hy,
Gan guddio'i drywydd hyd y fro
Dan dirlun hardd y plu.

llewyrchai – *gleamed, shone*
i dreiddio – *to penetrate*
pefrio – *to sparkle*
cwrlid – *quilt*
plu – *snowflakes*
cyfrwys – *crafty, sly*
fe grwydrai – *wandered*
cadno – *fox*
maeth – *nourishment*
syllu – *to gaze*
mur – *wall*
cipio – *to snatch*
cwdyn – *bag*
ymborthai – *would feed*
hy – *audacious, bold*
trywydd – *trail*
tirlun – *landscape*

# Y FFRIDDOEDD LLWM

Uwchben hen strydoedd cul y dref
Fe glywir atsain ambell fref,
A gwelir defaid llwyd y cwm
Yn crwydro hyd y ffriddoedd llwm.
Mor serth a blin yw llwybrau'r tir
Cyn dod o hyd i'r dolydd ir.

Bûm innau'n crwydro lawer gwaith
Fynyddoedd bywyd ar fy nhaith,
Mewn hiraeth am y dolydd pell
Lle gallwn brofi'r borfa well,
A gorffwys yn y gorlan glyd
Gan fyw mewn hedd o boen y byd.

cul – *narrow*
atsain – *echo*
bref – *bleat, bray*
yn crwydro – *wandering*
ffriddoedd llwm – *bleak sheep paths*
dolydd ir – *lush meadows*
profi – *to taste, to experience*
porfa – *pasture*
corlan – *sheepfold*
clyd – *comfortable*
hedd – *peace*

# PLESERAU MÂN

Mae'r dyddiau'n mynd yn araf iawn
O fore gwyn hyd hwyr brynhawn
Er pan ddewisodd salwch maith
Barhau i'm blino ar fy nhaith.

Nid wyf yn disgwyl am a fu
Neu'n chwilio am bleserau lu,
Ond gyda golau toriad gwawr
Cerddaf ymlaen dan ymdrech fawr.

Os af yn brudd heb gwmni llon
Mewn penbleth a gynhyrfa 'mron,
Daw ffrindiau gyda geiriau cu
A chilia'r holl gymylau du.

Er nad wyf i yn deg o bryd
Mi wenaf eto ar y byd,
A rhof i eraill gysur mwyn
Pan fydd eu baich yn drwm i'w ddwyn.

Ni chwynaf am yr heddwch mud
Wrth aros yn f'ystafell glyd,
Os caf i yma yn fy nghân
Fwynhau fy holl bleserau mân.

maith – *long and tedious*
ymdrech – *effort*
prudd – *sad*
penbleth – *perplexity*
cynhyrfu – *to agitate*
teg o bryd – *fair of face*
cysur – *comfort*
dwyn – *to carry, to bear*
ni chwynaf – *I won't complain*
clyd – *comfortable, cosy*

## UN DEIGRYN MUD
(O'm profiad fel nyrs a bydwraig)

Wrth edrych ar dy ddeigryn mud
　　Mor eiddil ydwyt ti,
A minnau'n gweld dy lygaid glas
　　Yn syllu arnaf fi.

A phwy sy'n gallu deall pam,
　　Fy ngeneth ddifai dlos,
Na theimli gysur mwyn dy fam
　　Yn oriau hir y nos.

A oes byd arall gwell i ti
　　Tu draw i lwybrau'r cur,
Lle gallaf leddfu llid dy bla
　　Yng ngwyrth y ffynnon bur?

Ni ffynni fel y rhosyn gwyllt
　　Dan haul Mehefin braf,
Ond nid wyt ti'n flodeuyn llai
　　Er na chei weld yr haf.

mud – *silent*
eiddil – *weak*
yn syllu – *gazing*
difai – *innocent*
cysur – *comfort*
cur – *pain*
gallaf – *I can*
lleddfu – *to alleviate*
llid – *inflammation*
pla – *plague, disease*
gwyrth – *miracle*
ffynnon – *spring*
ni ffynni – *you will not thrive*
llai – *lesser*

# GALWAD Y MÔR

Fe hoffwn fynd i'r eigion hallt
I deimlo'r ewyn yn fy ngwallt,
A gwrando ar y môr a'i ru
Yn berwi dros y creigiau du.

Pan lithrai'r hwyrnos dros y nen
Fe safwn ar y lanfa bren,
I dremio ar y tonnau oer
Yn llifo o dan hud y lloer.

Fe giliai'r tonnau yn eu tro
I wasgar cregyn dros y gro,
A minnau'n aros ar y traeth
 chalon drom i'r tir yn gaeth.

Ond beth yw'r môr, ei sŵn a'i li
Sy'n dal i alw arna i,
A'i ewyn gwyn dros frig y don
Yn codi hiraeth dan fy mron?

Fe ddaw goleuni'r haul â'r wawr,
Yn ddisglair dros y cefnfor mawr,
A chofiaf am y dyddiau gwell
Pan hwyliwn tua'r gorwel pell.

eigion – *ocean*
hallt – *salty*
ewyn – *seaspray*
rhu – *roar*
berwi – *to seethe*
glanfa bren – *wooden jetty*
hud – *magic*
gwasgar(u) – *to scatter*
gro – *ridge of pebbles*
yn gaeth – *confined*
lli(f) – *flow*
brig – *crest*
hwyliwn – I *would sail*

## Y CWRCYN

Mae Alfred wedi marw
Mor ddewr a chryf oedd e',
Rwy'n colli sŵn ei alw
A'i gwmni hyd y lle.

Wrth guddio ger y celyn
Pan chwythai'r gwynt yn oer,
Fe heriai gi a chwrcyn
I ymladd dan y lloer.

Deallai'r gath bob Cymro
Ac weithiau ambell Sais,
Pan oedd hi'n amser bwydo
Fe glywai pawb ei lais.

Gorffwysai yn fy mreichiau
Yn hapus iawn ei wedd,
Gan wrando arnaf weithiau
Yn sibrwd geiriau hedd.

Gobeithio bod 'rhen bwsi
Yn nef y cathod da,
Yn dal i ganu grwndi
Yn rhydd o boen a phla.

dewr – *brave*
cryf – *strong*
celyn – *holly tree*
heriai – *he would challenge*
cwrcyn – *tomcat (south Wales)*
i ymladd – *to fight*
llais – *voice*
gorffwysai – *he would rest*
yn sibrwd – *whispering*
canu grwndi – *to purr*

# Y CLWB NOS

Breuddwydio roeddwn neithiwr
Am wisgo ffrog fer goch,
A pheintio smotyn harddwch
Yn gelfydd ar fy moch.

Y clwb nos oedd yn galw
Ac euthum yno'n hwyr,
I deml y ddawns a'r ddiod
Er mwyn ymgolli'n llwyr.

Ac wedi'r gwin a'r fflyrtio
Fy nghalon oedd ar dân
Yn dawnsio'n ôl fy ffansi
I hudol rythmau'r gân.

Yr oeddwn yn fy mreuddwyd
Yn eneth heini lon,
Ond diflas wedi deffro
Oedd ffaelu ffeindio'r ffon!

breuddwydio – *to dream*
smotyn harddwch – *beauty spot*
celfydd – *skilful, artistic*
ymgolli – *to immerse oneself*
llwyr – *entirely*
ar dân – *on fire*
hudol – *bewitching*
diflas – *irksome*
wedi deffro – *after waking*
ffon – *walking stick*

# HEDFAN

'Rôl gwisgo esgyll barcut
A dewis uchel dir,
Mi lamaf dros y dibyn
I gôl yr awyr glir.

Yn rhydd o dynfa'r ddaear
A theimlo braich y gwynt,
Daw ias yn syth i'm gyrru'n
Llawn cyffro ar fy hynt.

Ar gangau cryf yr awel
Caf weld golygfa'r byd,
O nentydd oer y bryniau
I'r heulwen ar yr ŷd.

Mi af i hedfan eto
I weld mewn ennyd awr,
Mor eang ydyw'r wybren
Mor gyfyng llwybrau'r llawr.

esgyll – *wings*
barcut – *kite*
mi lamaf – *I will leap*
dibyn – *precipice*
côl – *embrace*
tynfa – *pull*
ias – *thrill*
cangau cryf – *strong arms*
ŷd – *corn*
ennyd awr – *a short while*
eang – *immense*
cyfyng – *confined*

# GWLITH

'Rôl i mi weld fy nghariad
Yn mynd yng ngwyll y nos,
Bu'r dagrau yn fy llygaid
Yn niwlo'r wawrddydd dlos.

Wrth syllu ar y meysydd
Gwelais y manwlith clir,
Yn pefrio dan yr heulwen
Cyn darfod ar y tir.

A phan ddaw nôl fy nghariad
Â'i wên fel heulwen haf,
Diflanna 'nagrau innau
Fel gwlith y bore braf.

gwyll – *darkness*
niwlo – *to mist*
gwawrddydd – *break of day*
syllu – *to gaze*
manwlith – *tiny dewdrops*
pefrio – *to sparkle*
darfod – *to perish*
diflanna – *will disappear*

# COFIA FI

Cofia fi pan weli di
Y gwanwyn hyd y berllan,
A'r hen freuddwydion amser gynt
A rannwyd dan y lloergan.

Cofia fi pan deimli di
Yr heulwen ar dy ruddiau,
Ynghanol ffrwythlon wynfyd haf,
Y tlysaf o'r tymhorau.

Cofia fi pan gerddi di
Drwy'r dail sy'n syrthio'n dawel,
Gan glywed cân yr hydref aur
Yn sisial yn yr awel.

Cofia fi pan sylli di
Ar amdo gwyn y gaeaf,
Daw nerth yn ôl i'th galon drist
Yn noethni'r tymor llymaf.

Cofiaf di pan welaf i
Y dirwedd gyfnewidiol,
Coleddaf brofiad cariad gwir
A'm cynnal yn dragwyddol.

perllan – *orchard*
a rannwyd – *that were shared*
lloergan – *moonlight*
gruddiau – *cheeks*
gwynfyd – *bliss*
tlysaf – *prettiest*
sisial – *to whisper*
syllu – *to gaze*
amdo gwyn – *white shroud*
noethni – *bareness*
llymaf – *harshest*
tirwedd – *landscape*
cyfnewidiol – *changeable*
coleddaf – *I cherish*
cynnal – *support*
yn dragwyddol – *eternally*

## PABÏAU

Un bore ym Mehefin mwyn
Pan ddeiliai blodau'r ddôl a'r llwyn,
Yn sŵn y fronfraith bêr ei chân
Mi welais gaeau'r ŷd ar dân.

Pabïau coch oedd yno'n llu
A'u llygaid yn amneidio'n gu,
Gan befrio'n dawel yn yr ŷd
Dan gusan fwyn y manwlith mud.

Am brudd babïau Fflandrys draw
Y cofiais, yn y gwaed a'r baw,
Am fechgyn glân dan farwol glwy'
A'u llygaid dall heb agor mwy.

Ond tyf pabïau eto'n fras
I guddio gloesau'r beddau glas,
A'u llygaid hoyw'n dal o hyd
Yn obaith byw am lanach byd.

deilio – *to burst into leaf*
bronfraith – *thrush*
pêr – *sweet*
ŷd – *corn*
ar dân – *ablaze*
amneidio'n gu – *beckoning fondly*
pefrio – *to sparkle*
manwlith – *tiny dewdrops*
baw – *muck*
marwol glwyf – *fatal wound*
dall – *sightless*
tyf – *will grow*
gloesau – *pains*
glanach – *less tarnished*

# CYSGOD

O dan ganghennau'r ywen las
Lle'r af i ddodi blodau,
Fe gwsg y tlawd a'r uchel dras
A'r rhai a garaf innau.

Yn sŵn hen glychau pêr y llan
Sy'n pontio'r cenedlaethau,
Cysgoda'r ywen dawel fan
Y mudan gerrig beddau.

Nid ydyw'r haul na'r lloer yn wên
Dan fantell braff y brigau,
A sych yw llawr y ddaear hen
Lle collwyd chwerw ddagrau.

Pan liwia'r machlud dir a nef
I herio gwyll y noson
Daw gwylnos hir yr ywen gref
Â hedd i fro'r cysgodion.

canghennau – *boughs*
ywen – *yew tree*
lle'r af – *where I go*
uchel dras – *of noble descent*
pontio – *to span*
cysgoda – *shelters*
mudan – *mute*
mantell braff – *stout/thick cloak*
herio – *to challenge*
gwyll – *darkness*
gwylnos – *vigil*

Eglwys y plwyf, Llangynwyd, Maesteg
*Llun: Ken Lewis*

## MAM–GU
## (1893—1992)

Gorffwys yn dawel fy mam–gu
O dan y garreg loyw, ddu;
Ni chlywi di hen glychau'r llan
Yn torri ar y dawel fan.

Pan ddeuai Ebrill yn ei dro
I wasgar blodau dros y fro,
Fe dyfai hyd y llwybr troed
Friallu melyn fel erioed.

Ar Sul y Blodau aem ynghyd
Pan oeddem iach a gwyn ein byd,
I gofio'r rhai a oedd mor gu
A meddwl am y dyddiau fu.

Ond heddiw ar fy mhen fy hun
Wrth ddodi'r blodau fesul un,
Darllenaf yma'n drist fy ngwedd
Lythrennau aur dy garreg fedd.

Tra byddaf fyw fe'th gofiaf di
A'r cariad mawr a roist i mi;
Mae'r cof amdanat yr awr hon
Yn troi fy nghalon brudd yn llon.

gloyw, ddu – *shiny black*
ni chlywi di – *you will not hear*
y dawel fan – *the quiet place*
deuai – *would come*
gwasgar(u) – *to scatter*
tyfai – *would grow*
briallu melyn – *yellow primroses*
fesul un – *one by one*

Mam-gu a'i chwiorydd yn gweithio yn y tloty
(Bridgend Union Workhouse), 1913

# GAFAEL

Daw'r suo gân yn ôl i'm cof
A glywn gan Mam fel plentyn,
Diogel oeddwn gyda hi
Yng ngwyll y nos ddiderfyn,
A minnau'n huno dan ei swyn
Yn ddiddos yn ei breichiau mwyn.

Wrth gerdded heddiw fraich ym mraich
Daw'r cof yn fyw am ennyd,
Er nad yw Mam yn gallu gweld
Diysgog yw ei hysbryd,
A theimlaf yn ei gafael hi
Ei llwyr ymddiried ynof fi.

suo gân – *lullaby*
a glywn – *that I heard*
diogel – *safe*
yng ngwyll – *in the darkness*
diderfyn – *interminable*
huno – *to sleep*
swyn – *spell*
diddos – *snug*
diysgog – *unflinching*
ysbryd – *spirit*
llwyr – *unmitigated*
ymddiried – *confidence, trust*

Am restr gyflawn o lyfrau'r Lolfa, mynnwch
gopi o'n catalog newydd, rhad
neu hwyliwch i mewn i'n gwefan

**www.ylolfa.com**

lle gallwch archebu llyfrau ar lein.

TALYBONT CEREDIGION CYMRU SY24 5HE
*ebost* ylolfa@ylolfa.com
*gwefan* www.ylolfa.com
*ffôn* 01970 832 304
*ffacs* 832 782